USE YOUR
VOICE!

USE YOUR VOICE!

USE YOUR VOICE!

USE YOUR
VOICE!

USE YOUR VOICE!

USE YOUR VOICE!

USE YOUR VOICE!

USE YOUR
VOICE!

USE YOUR VOICE!

USE YOUR VOICE!

USE YOUR VOICE!

USE YOUR
VOICE!

USE YOUR VOICE!

USE YOUR
VOICE!

USE YOUR VOICE!

USE YOUR
VOICE!

USE YOUR VOICE!

USE YOUR
VOICE!